7
FOR 7

GOT7

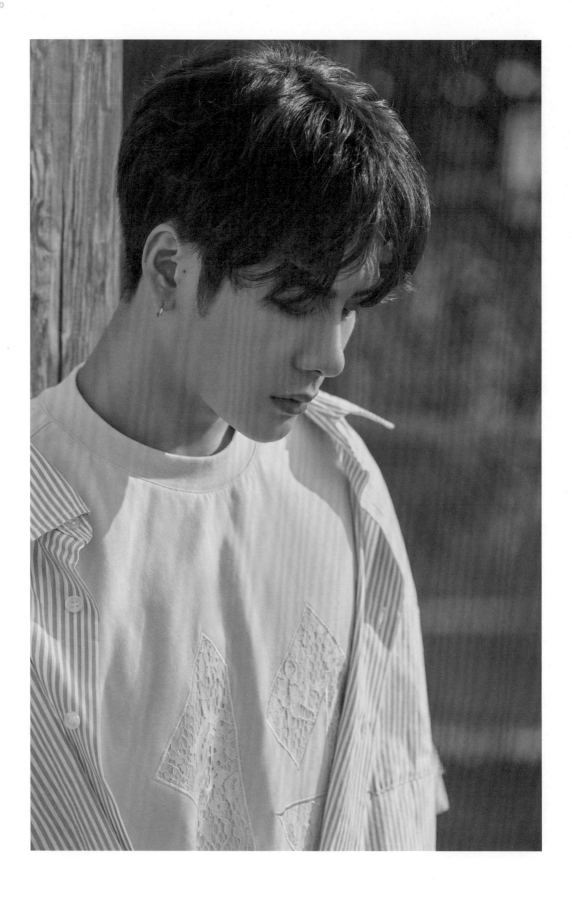

YUGYEOM | BAMBAM | YOUNGJAE | **JINYOUNG** | JACKSON | MARK | JB

YUGYEOM | BAMBAM | YOUNGJAE | **JINYOUNG** | JACKSON | MARK | JB

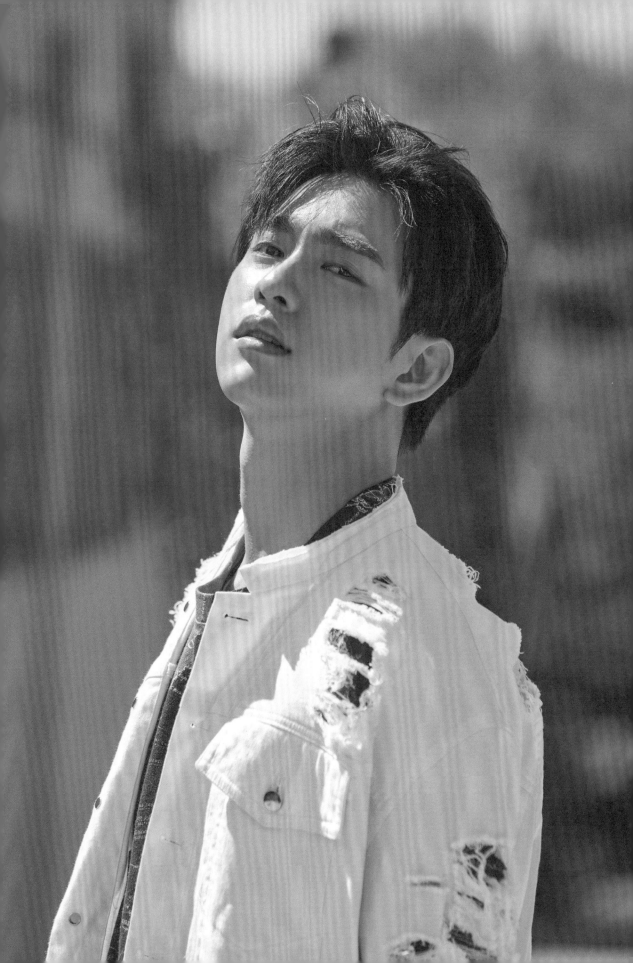

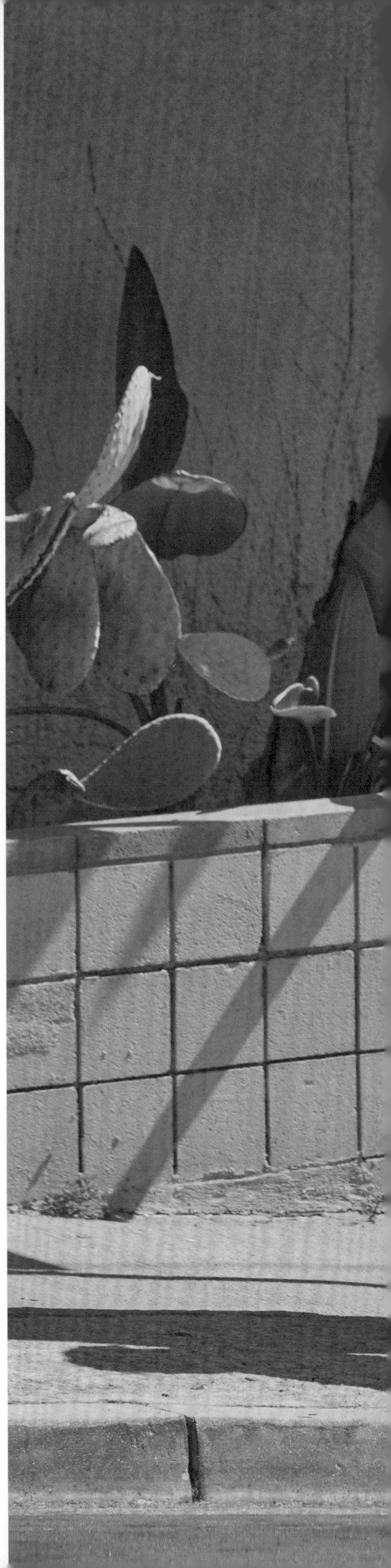

YUGYEOM | **BAMBAM** | YOUNGJAE | JINYOUNG | JACKSON | MARK | JB

MOON U Moon U
TEENAGER Teenager
YOU ARE You are
FIREWORK Firework
REMEMBER YOU Remember You
내겨 내기
FACE Face

TRACK # 1

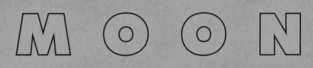

Lyrics by Ars, 주찬양, Maxx Song, BamBam | Composed by Ars, 주찬양, Command Freaks | Arranged by Command Freaks |
Original publisher JYP Publishing (KOMCA), Iconic Sounds (KOMCA) | Sub-publisher JYP Publishing (KOMCA)

Moon U

혼자 있을 때면 창가에 비친 저 달이 난 왜 그리 반가운지 따뜻한 듯 널 닮은 것 같아 날 보며 웃는 것 같아 | 또 니가 나를 볼 땐 같이 내가 너를 보네 수줍은 미소를 지으며 난 지금도 너만 기다려 내일도 너만 기대해 | 뜨거운 태양의 아침은 싫어 선선한 바람과 별빛의 밤으로 난 into you now | 난 그저 애기 같은 니 모습 내가 지켜주고만 싶어 | There's a moon like you There's a moon like you (you're my moon baby) 항상 난 반해 뻔하지만 난 또 반해 유치하긴 하지만 | There's a moon like you There's a moon like you 항상 너 언제나 그렇게 날 보며 아름다운 미소를 지어줘 | Baby I like you, do you like me too 할말이 많은 데 자꾸 나는 talking to the moon | In the morning 난 눈을 뜨기 싫어 24 계속 밤이었음 좋겠어 so I can see you all alone | 계속 불러봐도 Imma sing for you 반복되는 melody 내 손을 잡고 걸어보고 느껴봐 시원한 밤 공기 | I'll be your star 완벽한 남자 for you is me 매일 내려줄게 shooting star for you baby | 달빛아래 흥얼대던 너와의 행복한 노래 난 행복해 우리 둘이

Computer programming by Maxx Song | Guitar by Maxx Song | Keyboards by 안성찬 | Background vocals by 주찬양 | Recorded by 강연누 at U-Productions: Studio A | Recording assisted by 이석주 at U-Productions: Studio A | Mixed by 이태섭 at JYPE Studios | Mastered by 박정언 at Honey Butter Studio

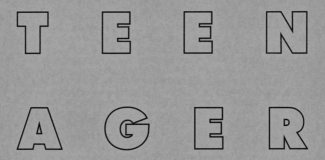

TEEN AGER

Lyrics by Defsoul, FS | Composed by Defsoul, FS, Royal Dive | Arranged by Royal Dive | Original publisher JYP Publishing (KOMCA), YG Entertainment Inc. (KOMCA), ADC Publishing (KOMCA) | Sub-publisher JYP Publishing (KOMCA), Universal Music Publishing Ltd.

teenager.

Girl where you wanna go or what you wanna do 뭘 원해 다 말해 니가 바라는 거 | I can do anything
if you tell me good boy 뭐든 다 줄 수 있어 | 너랑 있을 때 내가 왜 이러는지 계속 들떠있어 눈앞이 새로워
보여 넌 내 맘속 깊은 곳까지 밝혀줘 yeah baby you driving me crazy | You make me a teenager You
make me a teenager 유치해져도 뭐 어때 We are so young ay | 날 봐봐 널 보면 바보같이 그냥 웃어 마
냥 좋아 난 너면 you you | She makes me a teenager 매일 더 난 심해져 우리 둘을 티 내줘 | 둘이 손잡고
길을 걸을 땐 커플들은 우리를 시기해 다 말해줘 내게 if you tell me good boy 어디든 데려가 줄게 널 | 너랑
있을 때 내가 왜 이러는지 계속 들떠있어 눈앞이 새로워 보여 넌 내 맘속 깊은 곳까지 밝혀줘 yeah baby you
driving me crazy | 너 만은 내 품에 있기를 바래 매일 밤 너만을 생각해 넌 날 특별하게 만들어줘 everyday
every night

Drums by 홍영인 | Bass by 전병선 | Keyboards by 전병선 | Computer programming by 홍영인 | Chorus by FS |
Recorded by 장한수 at JYPE Studios | Mixed by Anchor at PRISM FILTER STUDIO | Mastered by 박정언 at Honey
Butter Studio

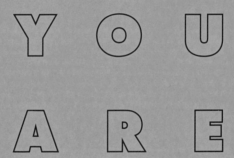

Lyrics by Defsoul, Mirror BOY(220Volt), D.ham(220Volt), 문한미루(220Volt) | Composed by Defsoul, Mirror BOY(220Volt), D.ham(220Volt), 문한미루(220Volt) | Arranged by Mirror BOY(220Volt), D.ham(220Volt), 문한미루(220Volt) | Original publisher JYP Publishing (KOMCA) | Sub-publisher JYP Publishing (KOMCA), Music Cube, Inc.

You are

무의미한 하루에 익숙해질 때 지쳐 있을 때쯤에 난 눈감고 널 상상해 가슴이 뛰는 게 더 크게 느껴지고 있어 baby | 하루의 반 이상이 비어버린 느낌 채워도 채워지지 않는 내 맘의 깊이 Getting bigger, deeper, and wider 지금 내 기분 like before the sun up | 갈 길을 잃어 혼란스러 머리가 아파 지쳐 가면 축 늘어 져있는 내 손을 잡아 따듯하게 나를 꽉 감싸 안아 | 늘 앞만 보고 달려 와서 숨 쉬기 벅차을 때 넌 나의 하늘이 돼줘 | It's a beautiful sky 맑게 갠 하늘 like you There is not a cloud 너 때문에 난 세상이 다르게 느껴져 | 비가 오고 있어 내 하루는 다른 사람들은 못 보지 내 하늘을 I can't breathe, I can't eat, I can't sleep 널 만나기 전에 난 완전히 망가진 | 이제 난 괜찮아 feel alright 손 닿는 곳에 서있어 언제나 구름에 가려져 있던 니 모습이 보이면 난 | 갈 길을 잃어 혼란스러 머리가 아파 지쳐 가면 내 모든 아픔을 다 가져가 go away 다친 상처는 아물어가 너의 손길에 | 늘 앞만 보고 달려 와서 현실에 부딪힐 때 니가 내 길이 돼줘 | 너는 기쁠 때 바라볼 하늘 힘들 땐 비로 내려줘 네 아픔의 반을 내일 나의 하늘엔 너로 가득해 I don't need anything but you, understand | 지금처럼 넌 내 옆에만 있어줘 따스하게 바라봐줘 이대로 날 | 모르겠지만 니 존재 만으로 난 살아 숨쉬는걸 느껴 | Beautiful sky 맑게 갠 하늘 눈물 따윈 없는 There is not a cloud 너 때문에 난 세상이 다르게 느껴져

Piano by 박세용 | Percussion by 허영수 | Computer programming by 박세용 | Background vocals by 문한미루 | Recorded by 엄세희 at JYPE Studios | Mixed by Tony Maserati at Mirrorball Studios, North Hollywood, CA | Mix engineered by James Krausse | Mastered by Chris Gehringer at Sterling-Sound, New York, USA

Lyrics by Jinyoung, Distract | Composed by Jinyoung, Distract, Secret Weapon | Arranged by Secret Weapon | Original publisher JYP Publishing (KOMCA), Iconic Sounds (KOMCA) | Sub-publisher JYP Publishing (KOMCA)

Firework

쉬지 않고 왔죠 보이지 않는 길 멀리 온 것 같죠 far away | 연기처럼 쉽게 사라질 마지막 우리들의 꿈 끝까지 놓지 않으면 | 작은 불씨가 되어 타올라 구름을 가로질러 올라가 터져 | Cause you're like a firework Cause you're like a firework, higher | Say hoo hoo hoo hoo hoo hoo hoo, firework | 지난 날을 떠올려 끝없이 펼쳐진 방황 속 내 맘은 blue | 밤은 언젠가 지나가고 아침이 오는 것처럼 조금만 기다리면 다시 | 아름답고 슬프게 피어나 가장 높은 곳까지 날아가 | 새로운 빛이 되어 영원할 줄 알았던 이 방황 끝에서 웃을 수 있길 바래 | Cause you're like a firework

Computer programming by Secret Weapon | Background vocals by Jinyoung | Recorded by 최혜진 at JYPE Studios | Mixed by 이태섭 at JYPE Studios | Mastered by 박정언 at Honey Butter Studio

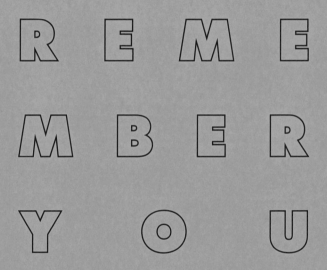

REMEMBER YOU

Lyrics by 이하진, BamBam | Composed by Images, BamBam | Arranged by Images, Say | Original publisher JYP Publishing (KOMCA) | Sub-publisher JYP Publishing (KOMCA)

Remember you

매일 흘러가는 day 끝에서 내가 그려보는 딱 한가지 아이처럼 밝게 웃던 네 얼굴 다시 되돌아가 널 만난다면 그땐 말할게 사랑해서 미안해 you, you remember me | 넘친 오해들이 결국 또 널 데려가고 홀로 남아 나 홀로 멍이 들어 아파 와 미치게 보고 싶어 미련하게 너를 채우고 | 한걸음에 네게 달려가 두 손 가득 안으면 부질 없던 감정 다툼이 설명이 될까 | 그땐 미처 알지 못했던 눈물 속에 담긴 네 말들을 이제 난 비로소 깨달아 | Do you remember me Don't you remember then 헤어질 이유보다 더 중요한 reason 나를 믿어주던 따스했던 손길 네 생각에 난 또 | 가끔 순간 속에 널 보면 또 울컥 목이 메어 아파 Can't you see me 그때 널 잡았다면 우린 달라졌을까 내 맘은 I can't let you go | 우리 뜨거웠던 기억들이 아직 남아 still can you feel me 시간은 우릴 만나게 하고 또 시간은 우리 둘을 떠나게 하지 | 기억들이 나를 찾아와 어디 가지 못하게 꿈에서 너와 다시 만나 이런 사랑 두 번 다신 없어 너와나 | 한걸음에 네게 달려가 두 손 가득 안으면 부질 없던 감정 다툼이 설명이 될까 | 그땐 미처 알지 못했던 눈물 속에 담긴 네 말들을 이제 난 비로소 깨달아 | 오늘이 지나면 날 스쳐간 수 많던 우연들도 어제의 기억으로 모두 희미해져 가 | 소소했던 작은 행복들 선명했던 너의 기억들이 내 맘에 자리를 잡아서 | 나를 보던 눈을 마주잡은 손을 간직하고 싶어 remember you

Drums by 정성민 | Bass by 한병문 | Piano by Say | Computer programming by 전성민 | Recorded by 엄세희, 장한수 at JYPE Studios | Mixed by Koonikey at Madsound Studios | Mastered by 박정언 at Honey Butter Studio

Lyrics by 유겸 | Composed by 유겸, Effn | Arranged by Effn, Heth, Samuel Ku | Original publisher JYP Publishing (KOMCA), Chitwnmusic | Sub-publisher JYP Publishing (KOMCA)

내게

숨쉴 수 없어 넌 나에게 그래 말할 수 없어 어차피 못 그래 이젠 누구도 날 믿지를 못해 단 한번의 실수 시선은 차갑네 | 후회해봤자 난 yeah 후회하긴 늦었네 되돌릴 수가 없어 이젠 늦어버린 내 진심 yeah | 내게 기회를 줘 제발 한번만 더 내 얘길 들어줘 | 대답해 아무 말이라도 다들 왜 아무 말도 없어 나를 봐 내가 여기 있어 아파하는데 | 차가워 날 대하는 너도 지겨워 나도 내 자신이 결국 이미 끝난 일 확실히 내게 말해줘 | 생각해봐 너네도 하나도 모르잖아 모르면서 나에게 거짓된 핑계들만 | 알아 내가 싫은 거 근데 맘대로 안돼 말이 안 되는 건데 결국엔 다 똑같아 내게 | 알아 넌 그래 (내게) 어차피 난 알면서 또 왜 (다 똑같아 내게) 그래 봤자 똑같은 난데 (결국엔 다 내겐) 바꾸려고 해 봤자 안돼 | 알아 넌 그래 (내게) 어차피 난 알면서 또 왜 (다 똑같아 내게) 그래 봤자 똑같은 난데 (결국엔 다 내겐) 바꾸려고 해 봤자 안돼 (다 똑같아 내게) | 너를 만나고 내가 어딜 가든간에 믿어 you said you said 의미 없다고 내게 말을 하고 나선 결국 you changed you changed | 상관없고 내버렸고 너를 향한 나의 맘이 없고 근데 우리가 또 다시 만나면 또 버릇처럼 서롤 향할까 또 | Oh man get back I ain't tryna be your man, your man | I know who you called your babe, your babe Imma go on my way my way | 마음은 변했지 what you gonna do 너는 변했지 never been so true 알아 듣겠지 | 같은 말 반복되는 끝이 없는 fight 너와나 perfect picture 속에 거짓말 you said | It's gon' be hard to erase us It's gonna happen 너 때문에 지쳤어 | Every minute every second was precious Getting worse so people don't look for us | 원해 be real 나쁜 생각 말고 no stay chill 너만 생각 말고 no stay real 똑같은 거짓말 done with that fake

Guitar by Heth | Computer programming by Effn, Heth | Background vocals by Samuel Ku, 유겸 | Recorded by 최혜진 at JYPE Studios | Mixed by 이태섭 at JYPE Studios | Mastered by 박정언 at Honey Butter Studio

Lyrics by 이우민 "collapsedone", Mayu Wakisaka, Jackson Wang, Mark, BamBam | Composed by 이우민 "collapsedone", Mayu Wakisaka | Arranged by 이우민 "collapsedone" | Original publisher JYP Publishing (KOMCA) , Sony Music Publishing (Japan) Inc. | Sub-publisher JYP Publishing (KOMCA), Sony/ATV Music Publishing (Hong Kong) (Korea Branch)

Face

You, 요즘 들어 며칠 동안 아니 꽤나 오랜 시간 동안 궁금했어 넌 어떤지 잘 지내고 있는 건지 | 몰랐었어 그렇게 너 힘들어 했을 줄 you gotta know 이제와 보니 baby 못해준 게 너무 많네 | Hey, 늦지 않았다면 Hey, tell me what I gotta do 내 곁엔 네가 있어야만 해 | I'm missing your face Missing your face 나만 바라본 네 눈도 내게 kiss 해주던 입술도 | I'm missing your face 미치게 네가 보고 싶어 돌아와 remember 우리 처음 약속처럼 last forever | 손을 잡고 같은 길을 걸어갈래 We can last forever Ain't nobody gonna stop us 영원하게 We can last forever | 더 이상 혼자이고 싶진 않아 Only need you in my life 내게 돌아와 가끔 물어봐 너의 친구에게 멀리 있진 않은데 왜 안보이지 why | 영원하다는 걸 사람들은 안 믿어 남 신경 쓰지 말아 우리만의 추억 no filter 갈 길을 걸어 들어서 너와 나의 spotlight을 찾아 | 다시 나를 믿어준다면 We can last forever 다시 나한테 기회를 준다면 We can last forever | 알아 내 말 아마 이기적으로 들릴 거라는 거 그래도 말야 아주 만약 너도 나와 같다면 Tell me so I can hear it

Bass by 이우민 "collapsedone" | Guitar by 이우민 "collapsedone" | Synths by 이우민 "collapsedone" | Computer programming by 이우민 "collapsedone" | Vocals directed by Distract | Background vocals by Jinyoung, JB, Ars | Recorded by 최혜진 at JYPE Studios | Mixed by 이태섭 at JYPE Studios | Mastered by 박정언 at Honey Butter Studio

Dear. 임재범

나 재범에게 편지라. 왠지 약간 어색한 감이 있으나마. 그래도 한번 써보는 줄 알지.
일단 모든 일이 감사하고 후회없이 느긋하게 살았으면 좋겠다.
그리고. 도전을 즐기고 인생의 다양한 것들을 느끼면서 살았으면 좋겠어.
나중에 나이가 들어가는 나이에 걸맞는 멋진 사람이 되길 바란다.
너무 고지식하지는 말고 맘편히 즐기면서 살아봐. 뭐...지금도 못 즐기면서
사는거나서만 더 잼있게 살자는 얘기지.
매일 고생해줘서 고맙다. 건강합시다. 내가 살아있는 날까지...

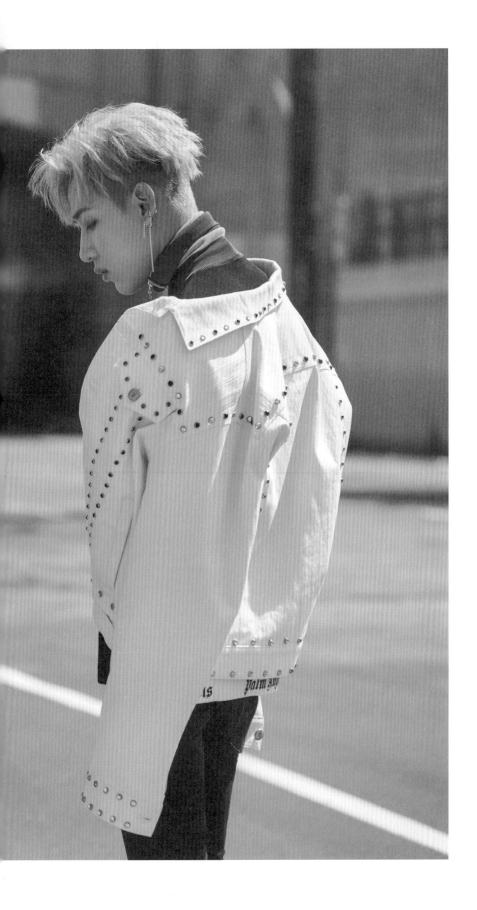

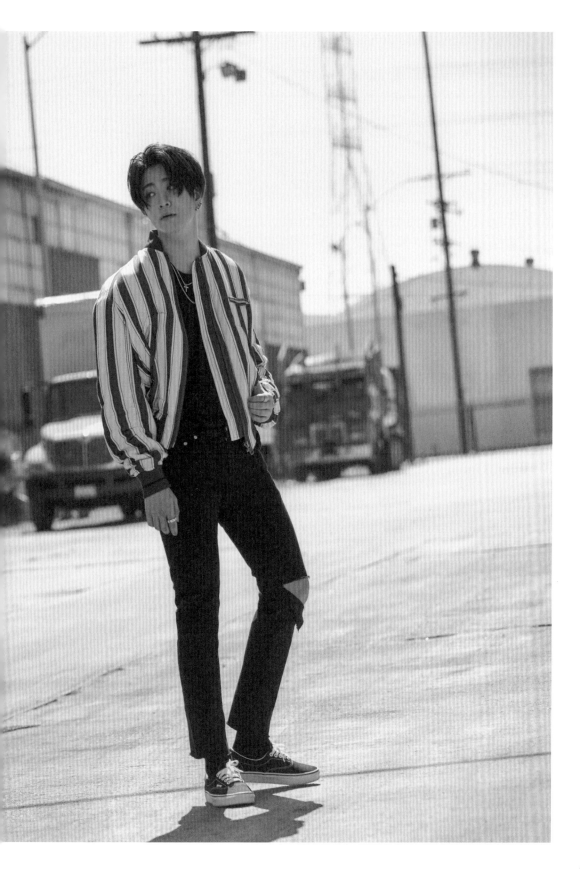

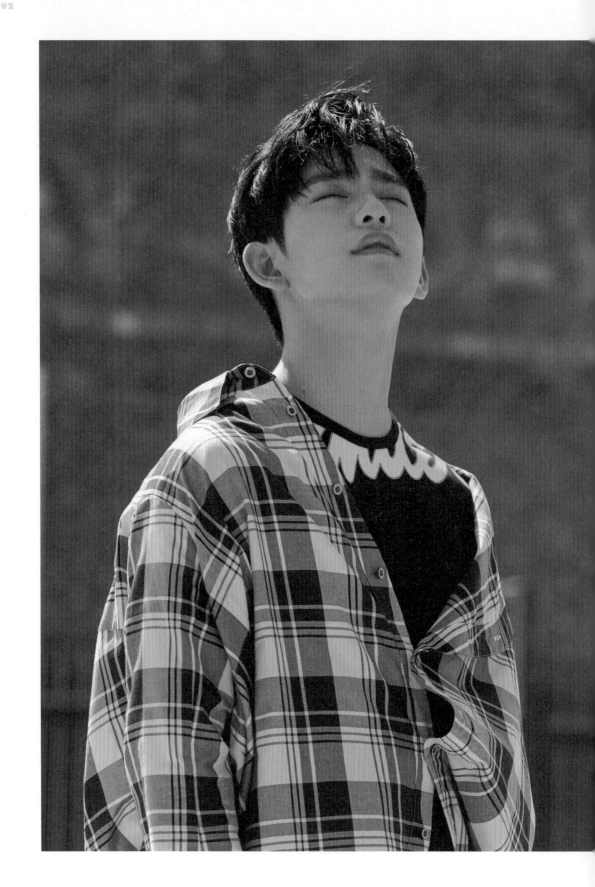

JB'S THANKS TO

가장 먼저 우리 가족에게 고맙습니다. 덕분에 큰 힘을 내서 여기까지 올 수 있었다고 생각하고, 애정합니다. 매번 저희와 함께 좋은 아이디어로 멋진 작품 만드는 JYP 식구들. 같이 고생 많이 해주신 덕분에 좋은 앨범을 낼 수 있게 된 것 같습니다. 정말 없으면 안 될 소중한 분들 너무 감사드려요!! 그리고 매번 같이 일하면서 저희를 더 멋있게 만들어주는 의상팀, 헤메팀에게도 감사드리고 뮤비팀과 포토팀에게도 정말 감사드립니다. 정말 너무 멋있게 나왔습니다. 감사드립니다~ 아가새 여러분. 오랫동안 기다려주셔서 감사드립니다. 여러분께 좋은 음악 들려드리려고 열심히 준비해서 나왔어요. 항상 저희와 함께 좋은 추억 만들어주셔서, 그리고 소중한 기억 만들어줘서 고마워요. 그리고 마지막으로 PARADI$E, 매번 함께 있고 좋은 영향 많이 줘서 고마워요. 덕분에 즐겁게 살고 있어요. 앞으로도 계속 쭉 함께 합시다요.

임재범(JB)

G   F

O

MARK'S THANKS TO

안녕하세요~~ 저희 갓세븐 돌아왔습니다!! 항상 앨범 준비할 때 같이 고생하는 형들 누나들. 정말 너무 수고 많았어요! 우리 앨범 사진, 뮤비, 의상, 헤어 메이크업 준비해주는 형들 누나들, 다들 너무 고생했어요! 이번 노래를 만든 작곡가님들과 우리 안무 만든 형들! 다들 고생하셨습니다!!! 항상 우리 갓세븐 위해서 노력하는 JYP Family~ 이번 활동도 열심히 하겠습니다! 항상 고마운 마음으로 열심히 하겠습니다!!~~ 그리고 우리 리더 JB~ 이번 앨범에 좋은 타이틀 만들어줘서 고마워!! ㅋㅋㅋㅋ 최고야!!^^ 우리 아가새들~~~ 항상 우리 없는 곳에서 응원해줘서 너무너무 고마워요! 우리 갓세븐, 항상 아가새들 때문에 노력하고 있습니다!! 이번에 재범이 만든 노래로 돌아왔으니까 다들 많이 많이 사랑해주세요!!! ㅋㅋㅋ 고마워요!!^^

마크 GOT7
MARK

O

T

R

JACKSON

JACKSON'S THANKS TO

네버에버 이후 7개월 만에 우리 GOT7이 7 for 7의 "You Are"로 다시 돌아왔어요. 그동안 많은 일이 생겼어요. 우리 새들, 항상 저를 믿고 응원해주고 책손을 아껴 주셔서 너무 감사해요. 새들과 함께 보내왔던 시간과 모든 추억으로 여러분들은 제가 어떤 사람인지 누구보다 더 잘 알 거라고 생각해요. 데뷔한 날부터 지금까지, 새들에 대한 고마움과 소중함은 하나도 변하지 않았고 앞으로도 변하지 않을 거예요. 시간으로 다 알게 되실 거라고 생각해요. 정말 아끼고, 제 초심처럼 새들 사랑해요. 항상 말하는 것처럼 GOT7의 책손으로 꼭 성공하겠습니다. 제가 항상 말하는 것처럼 여러분 어디서든 담당할 수 있도록 더 열심히 하겠습니다. 우리 매니저 형 누나들, 매일 스케줄 정리하고 아티스트 관리도 하고. 정말 감사해요. 매니저들 덕분에 우리 7명이 매일 매일 스케줄 잘 진행할 수 있다는 거 알고 있어요. 정말 진심으로 감사해요. 피곤한 우리 매니저 형누나들 꼭 건강도 잘 챙겼으면 좋겠어요. 박진영 피디님, 저한테 많은 걸 가르쳐주셔서 정말 감사해요. 몸 관리도 그렇고 음악에 대한 지식도 그렇고, 항상 기억하고 살 거예요. 정말 진심으로 감사해요. JIMMY 사장님, 저를 믿고 항상 알 수 있다고 말해주셔서 감사해요. 반드시 결과 보여드리겠습니다. 더 열심히 하겠습니다. H DOGG 부사장님. 해외든 국내든 항상 우리 방송하는 현장까지 와주셔서 지켜봐 주시고, 정말 감사해요. 더 열심히 하겠습니다. 친첸 형 스케줄 잡아주고 아티스트를 위해서 매일 매일 방송국 도는 게 정말 쉽지 않은데 항상 감사해요. 더 열심히 해서 좋은 모습 계속 보여드릴게요. 한국 엄마 희원 누나. 정말 솔직하게 말씀드리자면 이 세상 모두 저 보고 안 된다고 했을 때, 제일 못한다고 했을 때, 다 저를 무시했었을 때 누나만 저를 믿었어요. 그 후로 점점 자신감이 더 생기면서 더 열심히 하게 되고 더 욕심이 많아졌어요. 점점 하나하나씩 이루고 싶은 것들을 이루기 시작됐어요. 무슨 일 힘들 때마다, 피곤해도 잠도 안 자고 저랑 계속 밤새우면서 심의해주시고 관심 가져주셔서 정말 감사해요. 저에 대한 평가나 저에 대한 생각도 항상 솔직하게 말해줘서 감사해요. 누나 덕분에 저의 부족한 점도 알게 되고 약한 점도 알게 됐어요. 또 정말 열심히 하면 좋은 결과 아니더라도 어느 정도 나쁘지 않은 결과 나올 수 있구나라는 것도 알게 됐어요. 이 소중한 메시지 가르쳐주셔서 정말 감사해요. 평생 기억하고 살게요. 남용 형. 좋은 무대 준비해주고 아이디어 항상 내주고 완벽한 무대를 준비해주셔서 정말 감사해요. 그뿐만 아니라 경험도 이야기해주시고 많은 걸 가르쳐주셔서 감사해요. 더 열심히 해서 좋은 모습 보여드리겠습니다. 혁웅 형. 항상 우리 안무 짜주고 방송할 때마다 잠도 안 자고 현장 와서 모니터에 주셔서 감사해요. 형한테 제일 감동 받은 게 뭐냐면, 한 번도 대충 한 적 없고 사소한 부분들 하나하나 다 잡아주셔서 정말 감동했어요. 감사해요, 형. Marketing Team. 우리 7명을 대중에게 알리기 위해서 항상 고민하고 노력하고, 팬들이랑 못 볼 때 우리 대신 팬들 지켜줘서 정말 감사해요. 팬들이 우리를 못 볼 때 영상, 시간 찍어주고, 많은 걸 준비해서 우리 팬들이 우리 볼 수 있게 해줘요. 우리를 그렇게까지 생각해줘서 현장 와서 모니터에 주셔서 감사해요. 더 노력하겠습니다. A&R 팀. 항상 좋은 곡들 선택해주고 좋은 의견 내주고 좋은 앨범 프로덕션 준비해줘서 정말 감사해요. 뮤직비디오 현장에서 하나 하나씩 체크하면서 문제없이 진행할 수 있게 해줘서 감사해요. 더 열심히 하겠습니다. JYP CHINA 謝謝所有工作人員哥哥姐姐一直以来对我所有的关心跟关照。让我明白了很多事。我会更努力让自己成为一个更棒的王嘉尔的。谢谢你们。JYP JAPAN 저를 잘 챙겨 주셔서 정말 감사합니다. 항상 열심히 하고 더 좋은 모습, 더 좋은 아티스트로 보여드릴게요. JYP THAILAND 항상 우리 7명 위해서 매 순간 생각해 주셔서 정말 감사해요. 스케줄 있을 때마다 항상 정리 잘해주고 멤버 한명 한명씩 다 잘 챙겨줘서 정말 감사해요. 우리가 태국에 없는 날에도 매일매일 우리를 위해서 앞으로의 계획 생각해주셔서 정말 감사해요. 수정누나, 가비, 지윤형, 지은이즈쌤, 항상 멋진 옷들 입을 수 있게 해주셔서 정말 감사해요. 7명 한명씩 한명씩 다 살리면서 전체 팀에 발란스도 맞추고, 정말 쉽지 않은 일이에요. 항상 고민해주셔서 정말 감사해요, 앞으로도 정말 잘 부탁드릴게요. The J의 J누나, 햄쌤, 은마쌤, 민지쌤 항상 무대에서 예쁜 모습 보여줄 수 있는 이유가 누나들 덕분이에요. 정말 감사해요. 앞으로도 정말 잘 부탁드릴게요. All the international fans. Although it's a shame that we might not be able to meet as often, I believe it's all about the bond between us. And I strongly believe in it. Thanks for showing all the love, updating everything about us instantly even though some of you are on the other side of the world. It's all about the love. Really appreciate everything, and we are very lucky and blessed to have you all. No doubt I would try and try harder everyday like it's my last to become a better person and a better artist. Thank you. 我的你们. 谢谢你们一直以来那么相信我，也知道你们每一刻都在我身上花了不少的精力，所有的东西都看得到。也非常感谢你们在我走的每一步，不管辛苦也好，开心也好，都愿意陪着我走下去，每次都在我身边，愿意接受真实的我。也相信你们能够看的很清楚，我对每一件事的 态度。观点和 看法，也相信你们比谁都更清楚我是怎么样的一个人。不会让你们失望的。同时觉得光说没用用。还是应该用我的行动。时间 去证明给你们看。用我的作品去报答你们。之前也说过，绝不会让人家瞧不起喜欢我的人。要走的路还有根远。现在才开始。做好自己，做好我们。爸爸妈妈。儿子一定会努力让你们能够过着幸福的日子的，养大两个儿子不容易。多苦。多累 你们都尝试过了。不忍心让你们再受苦了。希望爸爸妈妈健健康康，开心的度过每一天。儿子非常爱你们。Thank you god for guiding me through all the obstacles. Love,QJG

JINYOUNG'S THANKS TO

안녕하세요. 진영입니다. 유닛 앨범 이후에 다시 인사를 드리게 되었어요. 먼저, 멀리 떨어져 있어도 언제나 내 편인 나의 소중한 가족. 항상 고맙고 사랑해요. 이번에는 개인적으로 저에게 정말 특별한 앨범인 것 같아요. 두 명이서 활동을 하면서 많은 것들을 느꼈어요. 먼저 우리 멤버들 각자가 그 기간 동안 보이지 않는 곳에서 정말 열심히 하는 모습을 보면서, 정말 고맙고 저 스스로에 대한 반성을 하게 됐어요. 멤버들아, 항상 고맙고 열심히 해보자. 그리고 우리 회사 직원분들의 많은 노력, 너무 고마워요. 일곱 명일 때도 느꼈지만 두 명으로서 바라봤을 때 그 모습들이 더 잘 보이더라고요. 감사합니다. 옆에서, 뒤에서도 저희를 위해서 힘써주신 많은 분에게 감사합니다. 갓세븐으로서 부끄럽지 않은 음악으로 활동하겠습니다. 땀 흘리면서 만든 앨범이 헛되지 않게 열심히 해보겠습니다. 그리고 소중한 저희의 아가새 여러분들. 우리 아가새분들. 저희를 있는 그대로 응원해주시고 사랑해주셔서 고마워요. 지금처럼 급하지 않게 천천히 오래 같이 가요. 감사합니다.

JINYOUNG

YOUNGJAE'S THANKS TO

먼저 정말 오랜만에 인사를 드립니다. Come and get it GOT7 안녕하세요. 갓세븐 영재입니다. 7명이 모여 이렇게 앨범을 낼 수 있어서 정말 기분이 좋고 떨리고 신이 납니다. 이번에도 열심히 모여서 앨범에 대해 의논하면서 열심히 만들려고 정말 노력 많이 했습니다. 저희 갓세븐 부모님. 저희를 낳아주시고 키워주셔서 진심으로 감사합니다. 그만큼 더 열심히 해서 부모님께 부끄럽지 않은 아들이 되겠습니다! 이 땡스투를 쓰는데 얼마 전에 가족이 전부 오셨어요. 오랜만에 같이 외식을 하니 정말 기분이 좋으면서 이상하게 슬프더라고요. 항상 함께 하는 사람들이 엄청 소중하다는 걸 다시 한번 느꼈습니다. 말이 길었지만, 우리 아가새 여러분들 천만 소중히 생각해요. 더 열심히 하고 잘하겠습니다. 지지 않겠습니다. 화이팅!! 여러분도 항상 건강 잘 챙기고 밥 잘 챙겨 먹어요. 사랑해요. 그리고 우리 갓세븐 정말 고맙고 정말 약속하자. 영원히 가자. 고마워.

G

F

BAMBAM'S THANKS TO

항상 저희를 사랑해주셔서 너무 감사합니다. 이번 앨범도 여러분들이 기다려주신 덕분에 드디어 나왔습니다. 이번 앨범은 지금까지 여러분이 알고 있는 갓세븐 스타일과는 조금 다르게 변신해봤어요. 이번 앨범도 저희가 신경 많이 써서 열심히 만들었는데, 여러분들도 좋아해 주셨으면 좋겠습니다. 저희가 아직 부족한 부분 많이 있지만, 여러분들을 위해서 부족한 부분 최대한 채우기 위해 노력하고 있어요. 앞으로도 저희가 만든 노래나 활동하는 모습 기대해주세요. 주변에 감사할 사람이 너무나 많아요. 저희가 여기까지 올 수 있었던 건 많은 사람의 땀과 노력 덕분이라는 것을 우리 아가새 여러분들이 꼭! 알아줬으면 좋겠어요! 한 명씩 말하면 너무 많아서.. 지금까지 항상 열심히 노력해준 우리 직원분들, 우리 매니저들, 우리 스탭들, 우리 작곡가 형 누나들, 우리 안무가 형들, 우리 멤버들. 그리고 우리 아가새 여러분 정말 진심으로 감사합니다. 앞으로도 저희 갓세븐 어떤 상황이든 10년, 20년까지 함께해주고 지금처럼만 응원해줬으면 좋겠습니다. 감사합니다. 사랑합니다.

O

YUGYEOM'S THANKS TO

제가 좋아하는 음악을 하면서 감사함을 많이 느껴요. 제가 정말 아끼고 좋아하는 분들과 얘기도 많이 하고 함께 노력
해가면서, 시간이 지날수록 더욱더 감사함을 느낍니다. 더욱더 진심으로 제 마음을 전하고 싶어요. 여러분 덕분에 얼
마나 행복하고 웃음이 나는지 알려드리고 싶어요. 항상 행복해서 웃음이 나옵니다^^ 저는 아직도 춤추고, 노래하고,
무대에서 우리 아가새 분들과 같이 음악 즐기고... 이런 모습들이 제 머릿속에, 마음속에 항상 선명해요. 언제나 무대
위에서든 밖에서든 멋있는 사람이 되도록 노력할게요. 제 사람들, 우리 회사 모든 직원분들, 우리 팀 갓세븐, 우리 가
족, 저의 크루 그리고 언제나 고맙고 정말 많이 아끼는 아가새분들, 언제나 우리 함께 앞으로도 쭉 같이 나아가고 싶
고, 그럴 거라고 믿어요. 사랑합니다. 저의 모든 분들^^

— 겸이가 —

YUGYEOM

CONTENTS
PRODUCTION

Producer	J. Y. Park "The Asiansoul", GOT7
A&R	
Direction & Coordination	이지영
Music	장하나 , 남정민
Production	김지형 , 최아라
Design	김보현 , 김태은
ENGINEER	
Recording	엄세희 , 장한수 , 최혜진 at JYPE Studios, 강연누 at U-Productions: Studio A
Assistant	이석주 at U-Productions: Studio A
MIXING	
Engineer	Tony Maserati at Mirrorball Studios, North Hollywood, CA, 이태섭 at JYPE Studios, Anchor at PRISM FILTER STUDIO, Koonikey at Madsound Studios
Assistant	James Krausse at Mirrorball Studios, North Hollywood, CA
MASTERING	
Engineer	Chris Gehringer at Sterling-Sound, New York, USA, 박정언 at Honey Butter Studio
VIDEO DIRECTOR	호랑이굴 (TIGERCAVE)
PHOTOGRAPHER	장덕화 at Agency PROD
ALBUM ART DIRECTING & DESIGN	김보현 at JYP Entertainment
WEB DESIGN	김태은 at JYP Entertainment
STYLE DIRECTOR	채한석 , 임수정
HAIR & MAKEUP DIRECTOR	박은미 , 길민지 at 더제이 헤어메이크업
CHOREOGRAPHER	김형웅 × LOOK × T.Z × Chrismatin × 나나스쿨
PRINTING	Today Art

JYP STAFF

Executive Producer	정욱 Jimmy Jeong, 조해성 for JYP Entertainment
A&R	
Management	이지영
Music	장하나 , 김여주 (Jane Kim), 박순형 , 남정민
Production	김지형 , 김보현 , 이은희 , 김태은 , 최아라
Training	이유리 , 전영균 , 정안진
Casting	김현경 , 이시은 , 이준구 , 차지윤 , 이동환 , 박진
Engineer	이태섭 , 최혜진 , 임홍진 , 엄세희 , 장한수
Accountancy	홍시내
STUDIO J	문호윤 "Moonworker", 김성진 , 임형주 , 김정현 , 최정은 , 윤예진
PERFORMANCE DIRECTING	박남용 , 김형용 , 윤희소 , 유광열 , 나태훈 , 강다솔
MARKETING	이아람 , 김리원 , 허수진 , 김지혜 , 김윤정 , 김예진 , 구자성 , 함지은 , 이승희 , 김선미 , 편무준 , 고혜리 , 홍유진 , 김예진
MANAGEMENT	김희원 , 강영걸 , 선진철 , 엄연정 , 김다영 , 홍나래 , 진종구 , 김아리 , 박강순 , 정가영 , 전경연 , 이시형 , 김성수 , 박상호 , 안정규 , 강민성 , 전하람 , 임동현 , 주단비
ADVERTISEMENT	윤재호 , 이정윤 , 김호수 , 조성민
BUSINESS	신현국 , 정해준 , 정은옥 , 이승은 , 김효정 , 이주아 , 박유진 , 이예린 , 김효윤
2PM TF	송지은 "Shannen", 박채윤 , 김광명 , 조정안 , 이성아 , 이지훈 , 강수연 , 강화목 , 김미희 , 김은섭
TWICE TF	신현국 , 정해돈 , 주보라 , 신선화 , 신새롬 , 김나연 , 유종범 , 박래창 , 전용진 , 양다설
SUZY TF	신현국 , 정준길 , 정용교
PUBLIC RELATIONS	김상호 , 김윤지 , 이서윤 , 박예은 , 김다연
IT	박찬 , 박민재 , 최찬무
ADMINISTRATION	변상봉 , 배용호 , 김효정 , 주성연 , 안윤주 , 안진영 , 민경진 , 박종욱 , 백현주 , 김강민 , 양현진 , 김세진 , 이보람 , 이창우 , 이재서 , 부경민
ACTOR MANAGEMENT	표종록 , 박가을 , 조상현 , 진영주 , 김나래 , 김화영 , 장순호 , 김제영 , 권태형 , 곽송원 , 김다애 , 이소정 , 한대훈 , 신성범 , 조현선

JYP PUBLISHING

CEO	이정윤
Assistant	김민지 , 신다예 , 조현우

JYP CHINA

CEO	이철훈
Assistant	Liu Miao, 오성철 , Zhu Xiaoyan, Li Meilan, He Kun, Zhang Man, 조유신 , 최경환 , 김수영 , Jin Yihan, 전연식 , Lai Ruoping, Hu Songying

JYP JAPAN

CEO	송지은 "Shannen"
Assistant	정경희 , Ayumi Saiki, Rinko Narita, 김태화 , 이성아 , 이지훈 , 김성법 , 홍민아 , 강민주

JYP Thailand

Managing Director	김기재
Assistant	Nutcha Chansing, Wasinee Srithavatch, Charunya Thairuksa, Vilaiwan Yodmai

JYP PICTURES

CEO	표종록
Assistant	강라영 , 옥지혜

JYP PICTURES CHINA

CEO	이철훈
Assistant	Zhu Shuangda

GENIE MUSIC